D'une noirceur à l'autre

DU MÊME AUTEUR

CHEZ LE MÊME ÉDITEUR

Un Valentin à la fête des Morts, roman, 2003.
Les allées lueurs, poésie, 2002.

AILLEURS

Courant de l'après-midi, poésie, Écrits des Forges, 2004.
Dans le souffle de l'été, roman jeunesse, Le loup de gouttière, 2002.
Les sortilèges de la pluie, roman jeunesse, Le loup de gouttière, 2001.
Orchestre fugitif, poésie, Écrits des Forges, 1999.
Autoroute du soir, roman, Vents d'Ouest, 1998.
Des rêves que personne ne peut gérer, poésie, Écrits des Forges, 1996.
Le chantier des étoiles, roman, Vents d'Ouest, 1996.
Un radeau au soleil, poésie, Écrits des Forges, 1994.
Parfums des rues, poésie, Écrits des Forges, 1993.
Ce qui bat plus fort que la peur, poésie, Écrits des Forges, 1991.
Un scintillement de guitares, poésie, Écrits des Forges, 1988.
Le chant des sirènes, poésie, autopublication, 1987.
Rock Desperado, poésie, Écrits des Forges, 1986.

COURTS MÉTRAGES POÉTIQUES

La-Belle-au-fond-de-l'eau, 9 min 10 s, 2004 (en collaboration avec
Sylvana Beaulieu).
La fenêtre, 3 min 39 s, 2004.
Chiens errants, 16 min 35 s, Daïmōn, 2003.
Rythmes de passage, 11 min 40 s, Axe Néo-7/Daïmōn, 2001.

Jean Perron

D'une noirceur à l'autre

Nouvelles

Collection « Vertiges »

Catalogage avant publication de Bibliothèque et Archives Canada

Perron, Jean, 1960-
    D'une noirceur à l'autre : nouvelles / Jean Perron.

(Vertiges)
ISBN 2-921463-93-8

I. Titre. II. Collection : Vertiges (Ottawa, Ont.)

PS8581.E7465D86 2004   C843'.54   C2004-905497-X

Les Éditions L'Interligne
261 chemin de Montréal, bureau 306
Ottawa ON
K1L 8C7
www.interligne.ca

Œuvre de la couverture : Sylvana Beaulieu
Maquette de la couverture : Christian Quesnel
Mise en pages : Arash Mohtashami-Maali
Correction des épreuves : Andrée Thouin

Les Éditions L'Interligne bénéficient de l'appui financier du Conseil des Arts du Canada, de la Ville d'Ottawa et du Conseil des arts de l'Ontario. Nous reconnaissons l'aide du gouvernement du Canada par l'entremise du Programme d'aide au développement de l'industrie de l'édition (PADIÉ) et du Programme d'aide aux langues officielles (PALO) pour nos activités d'édition.

Conseil des Arts du Canada   Ottawa   ONTARIO ARTS COUNCIL / CONSEIL DES ARTS DE L'ONTARIO   Canada

ISBN 2-921463-93-8
Dépôt légal : 4ᵉ trimestre 2004
Bibliothèque nationale du Canada

L'ENFANCE DU JOUR

Un chat sur la route

Au retour de la partie de baseball, le fils de l'entraîneur pleurait.

Son père avait beau dire qu'il avait eu le temps de traverser la route, le chat qui s'était lancé devant la voiture, lui était sûr que non. Que nous l'avions frappé. Qu'il fallait faire demi-tour pour aller à son secours.

Le visage barbouillé de larmes et des éclats de phares des autres voitures, le fils de l'entraîneur se retournait avec dans les yeux toute la détresse du monde.

J'avais une dizaine d'années, comme mon coéquipier de l'équipe de baseball. Assis sur la banquette arrière, je n'avais pas vu ce chat.

Avait-il été frappé ?

Je n'en savais rien et je ne le saurai jamais.

Dans la distorsion de la vitesse, par la fenêtre ouverte, je regardais défiler la nuit fraîchement tombée. Le vent d'été me soufflait au visage les effluves des champs qui bruissaient dans l'obscurité.

UNE VOIX, UN CRI, UN APPEL

AUX PREMIÈRES LUEURS DE L'AUBE, j'ai entendu une voix plaintive qui venait de je ne sais où. Était-ce un oiseau ou un chat, un chien ou un loup, un être humain ou un fantôme ? Je ne saurais le dire, même si la *bête* a poussé son cri solitaire plusieurs fois de suite.

Sur le coup, pendant qu'il retentissait gravement, je ne pensais qu'à identifier cet appel. Je me demandais quelle créature du ciel ou de la terre pouvait bien jeter dans ce début de journée une note aussi triste et touchante. Je voulais en quelque sorte l'étiqueter.

Mais c'est quand cette voix s'est éteinte que j'ai eu le plus envie de l'entendre de nouveau ; pas pour me poser des questions, cette fois : juste pour l'entendre.

Trop tard.

Maintenant cette voix, ce cri, cet appel se prolonge dans ma mémoire et son absence laisse un vide dans le silence.

Gestes prémonitoires

CERTAINS LIEUX SONT HALLUCINANTS comme des nuages poussés par le vent.

Un terrain vague près d'une grange.

Au matin de ma vie, il y avait à cet endroit une clôture de bois ; et des museaux bien plus grands que mes mains s'ouvraient pour réclamer de la nourriture. J'allais chercher des feuilles d'épis de maïs dans le jardin de mes grands-parents. Entre les barreaux de bois de la clôture, je passais ces feuilles vertes à des porcs dont je ne distinguais que le museau. Les porcs dévoraient les feuilles en laissant mes mains d'enfant mouillées et collantes. Juste à côté, il y avait aussi un poulailler. Dans le flou de mes souvenirs les plus lointains, je ramasse des œufs que je dépose avec mille précautions maladroites dans un petit panier de paille.

Le vent pousse les nuages.

Un rayon de soleil apparaît brièvement comme une présence amie dans l'hostilité de tout ce qui se perd.

Les hautes herbes du terrain vague frissonnent et soupirent.

Au fond, qu'est-ce qui se perd ?

Les images qui reviennent hanter le regard sont enracinées au présent ; elles couvent des vérités en manque d'expression, qui apparaissent dans des moments de transparence comme des plantes dont on peut suivre la racine jusqu'au sol dans une eau claire.

Tendre de la nourriture à des museaux de porcs bien plus grands que mes mains. Ramasser des œufs en tâchant de ne pas les briser. Ces gestes, isolés dans la mémoire du matin de ma vie, sous d'autres formes sont devenus mes occupations quotidiennes.

ENCORE UNE FOIS

BIENTÔT NEUF HEURES.

Un matin clair pomponné de soleil.

Les passants circulent en flottant dans le centre-ville un peu alangui.

« Ça recommence ! » laisse tomber, sur un ton exaspéré, un homme qui passe à bicyclette en regardant droit devant lui avec dégoût.

Je me retourne, cherchant à apercevoir d'un côté ou de l'autre quelque désagrément — peut-être des travaux de réfection dans la rue.

Rien.

La lumière d'un jour nouveau sur le pavé tranquille.

Matin sans histoire

Un homme passe dans une allée devant ma voiture stationnée. Je démarre pour retourner en ville, satisfait d'avoir parcouru plusieurs kilomètres à pied dans le sentier autour du lac.

(Les escaliers de bois montés et descendus au pas de course, deux ou trois marches à la fois. La résonance de mes pas. Le bruissement des arbres aux mèches de soleil dans les feuilles. Les oiseaux comme des enfants dans une cour d'école. La note de contrebasse d'un crapaud solitaire, ponctuant par moments ce concert naturel.)

L'homme passe lentement devant ma voiture, une fillette le suit. Cet homme retient mon attention parce qu'il ressemble beaucoup à un cousin auquel je pensais justement. Mon cousin a lui aussi une fille... Et un garçon, très jeune. Est-ce ce détail qui fait que je m'attends à voir un autre enfant ? Rien dans le rétroviseur. Je jette un dernier coup d'œil dans mon angle mort pendant que la voiture commence à reculer. Un bambin, qui semble surgir de nulle part, se lance derrière la voiture. L'homme l'aperçoit et se met à crier, paniqué : « Non ! Non ! »

(La sueur sur mon front, dans mon cou et entre les poils de mon torse, une sueur d'homme subjugué par la caresse d'une brise amoureuse. Une bande de papillons orangés s'élève de la terre battue pour voltiger un instant autour de moi alors que j'allonge une jambe, puis l'autre, dans un saut, pour briser le mur de la douleur.)

Je freine à temps. Le bambin rejoint son père et sa sœur.

Je les regarde s'éloigner.

Pour eux comme pour moi il ne s'est rien passé. Ce jour et la vie suivront leur cours comme avant.

Le soleil brille dans un ciel parfaitement bleu.

Chaleur intense.

LE TRÉSORIER DU CIEL

TOUTE MA VIE j'ai cherché un trésor.

Un vieux rêve.
Ou un jeune rêve qui n'a jamais vieilli.

Enfant, je guidais mes frères et sœurs et les autres enfants du voisinage dans les champs derrière chez nous, et j'étais sûr que nous allions découvrir un trésor.

La petite municipalité mi-urbaine mi-rurale, où les bungalows récemment construits faisaient bon ménage avec les boisés et les pâturages, se transformerait en quelques années en banlieue champignon où, en dehors des parcs d'amusement et des terrains clôturés des propriétés privées, il n'y aurait plus le moindre espace vert. Les spéculateurs et les promoteurs immobiliers y ont trouvé leur trésor avant que je ne découvre le mien, et ils ne m'ont rien laissé.

Restait cette impression de marcher dans la brousse, quand pour mes yeux d'enfant les champs de foin, parsemés de fraises, de trèfles et de marguerites, étaient des lieux remplis de mystère et d'aventure, les jours d'été sous le ciel d'un bleu qui sentait la lessive, une mer d'éther étale sur laquelle des cumulus, poussés par un vent de fourneau, voguaient vers une destination inconnue en me faisant signe de les suivre pour déchiffrer leurs formes.

Toute ma vie j'ai cherché un trésor.

Il est là dans ce sac à dos sur lequel je jette un coup d'œil de temps à autre tout en écrivant ces lignes. Ce matin, le dernier de ma vie.

Le ciel d'Afrique me fait penser à celui des étés de mon enfance au Québec. D'un bleu royal et transcendant, un ciel où le peuple des nuages déploie toute sa fantasmagorie suggestive au-delà de toute analyse.

Mais aucun mystère dans le contraste entre ce ciel d'un bleu si franc aux nuages blancs comme des œufs fraîchement cueillis et ce grondement de tonnerre qui s'amplifie en se rapprochant du village abandonné à un sort funeste. Car les détonations ne viennent pas de la nature, mais de la violence humaine en plein déferlement sur cette terre aussi âprement convoitée que peu aimée pour elle-même.

J'ai déjà entendu dire que quand on est enfant on croit qu'il y a des bons et des méchants, et qu'à l'âge adulte on se rend compte qu'il n'y a que des méchants. En réalité, les bons existent réellement, mais n'ont tout simplement pas les moyens de combattre les méchants.

Les bons, ce sont ces gens qui m'ont accueilli chaleureusement dans leur village et qui s'apprêtent à le défendre avec rien d'autre que des roches et des bâtons contre des tueurs féroces, largement supérieurs en nombre et dont la puissance des armes se fait entendre, depuis des kilomètres de distance, en se rapprochant.

Toute ma vie j'ai cherché un trésor.

Et j'ai aimé le spectacle des nuages.

Les deux ont toujours été pour moi intimement liés, comme les deux côtés d'un miroir dans un même mouvement.

On croit que les assemblages et les métamorphoses de ces formes vaporeuses dans le ciel sont toujours sensiblement les mêmes et que seule l'imagination impressionnable des enfants fait de cette banale réalité météorologique le théâtre de personnages fabuleux. Pourtant, les jours où il n'est pas entièrement dégagé ou couvert, le ciel n'est jamais le même, et le spectacle des nuages se renouvelle sans cesse, bien davantage que les possibilités pour l'imagination d'y voir des formes connues. On ne voit jamais deux nuages identiques, et un même nuage ne revient jamais sous la même forme.

Aussi, j'ai très tôt développé une passion pour ces variations infinies du ciel.

Je les ai dessinées et peintes en techniques mixtes, j'en ai fait des collages de diverses matières, soit en les reproduisant après les avoir figées sur une photo, soit en les recréant de mémoire, soit en les réinventant de toutes pièces en les passant au filtre de mon ciel intérieur. J'ai présenté des expositions. Je participais à l'élaboration d'un projet perpétuel purement esthétique et tout à fait intemporel.

C'est d'abord en vue d'un travail de création artistique que m'est venue l'idée de me rendre en Afrique.

Toute ma vie j'ai cherché un trésor, et j'ai aimé le spectacle des nuages.

Les deux ayant toujours été pour moi intimement liés, comme les deux côtés d'un miroir dans un même mouvement, il était naturel qu'en venant en Afrique attiré par le ciel, je poursuive également mon rêve et ma recherche d'un trésor.

D'autant plus que les mornes nécessités de la vie pesaient plus lourd dans mes jours que mes revenus d'artiste.

Et le marché du travail me faisait l'effet d'un travesti au sourire édenté me décochant des œillades meurtrières devant la façade clinquante d'un casino.

J'appris que dans le pays que j'avais choisi certaines régions diamantifères échappaient complètement au contrôle des compagnies prédatrices et de leurs sbires gouvernementaux.

Certes, il était particulièrement risqué de s'y aventurer, ces régions étant en proie à la pire violence. Le chaos le plus complet y régnait. Des villages entiers disparaissaient régulièrement dans le feu et le sang, sous l'assaut de hordes bien armées et d'une cruauté sans nom.

Certains affirmaient que ces hordes étaient composées de mercenaires au service du gouvernement corrompu qui voulait ainsi reprendre le contrôle de régions rebelles. D'autres soutenaient au contraire qu'il s'agissait de forces rebelles qui éliminaient des villages dont les habitants refusaient de les suivre dans leur lutte contre le pouvoir établi. D'autres encore prétendaient, preuves à l'appui, que ces tueurs féroces provenaient d'un pays voisin désireux d'annexer ces régions pour s'emparer de la production de diamants.

Toute ma vie j'ai cherché un trésor.

Alors j'étais prêt à braver tous les dangers.

Tout en filmant le ciel d'Afrique, je traverserais la folie furieuse qui avait fait son nid sur cette terre de misère dont j'extrairais des pierres précieuses, et je reviendrais riche d'images, d'expériences et, bien sûr, riche tout court.

J'aurais cueilli à la fois les bijoux de la terre et ceux du ciel.

Un vent fils du feu asperge les arbres majestueux de sable et de poussière. Des singes écartent les feuillages touffus d'un arbre au tronc zébré, me montrent les dents d'un air rageur, puis s'enfuient en laissant des rires moqueurs vibrer dans l'air étouffant que déforme un rayon de soleil planté comme une lance dans le sol semi-désertique.

Un manège de chevaux blancs célestes tourne doucement au-dessus du village. Quelques enfants viennent se blottir contre moi et nous le regardons ensemble, ce manège, comme nous allons aussi mourir ensemble bientôt.

Ces enfants ont pris la place laissée vacante, depuis l'enfance, de mes frères et sœurs et des enfants du voisinage, qui ont cessé de me suivre dans la brousse à la recherche du trésor. Ils sont tous depuis longtemps trop occupés à vivre une vie sans émerveillement, s'ils ne sont pas déjà morts à leur insu.

Restent ces enfants agglutinés contre moi, ces enfants que je n'aurai jamais, pendant que le grondement de la guerre se rapproche.

C'est le dernier matin de ma vie.

Toute ma vie j'ai cherché un trésor.

Et ce n'est quand même pas un mince exploit d'avoir réussi à dénicher ces pierres précieuses, par mes seuls moyens rudimentaires, sans aucune expérience dans le domaine et en terre inconnue.

Des travaux préparatoires des plus exigeants ont été nécessaires, ainsi que des recherches approfondies avant les investigations précises sur le terrain. J'ai dû acquérir rapidement, par moi-même, des connaissances incontournables. J'ai dû procéder à une planification sans faille et à une exécution impeccable du plan.

Oui, je me félicite, car maintenant personne d'autre ne le fera. J'ai du mal à communiquer avec les gens d'ici. Certains d'entre eux saisissent quelques bribes de français ou d'anglais, sans plus. Mais même si la langue n'était pas un obstacle, je ne crois pas qu'ils partageraient mon enthousiasme. Tant pis. Nous allons tous mourir ce matin.

Une partie des habitants ont fui le village pour échapper au carnage. Ils ont été les premiers à se faire massacrer sur la route. D'autres ont formé des lignes de défense que les hordes sont en train d'écraser sans pitié. Des cris de douleur définitifs retentissent parmi les explosions de grenades et les rafales d'armes à feu.

Le village est cerné.

Les démons de la guerre vont surgir de partout d'un moment à l'autre.

À leur arrivée, sous le ciel d'un bleu pur comme l'enfance où les nuages s'exprimeront dans la langue des anges, je vais me précipiter en lançant des diamants à l'enfer pendant que mon sang pleuvra sur la terre.

BANDIT DE GRAND CHEMIN

Trois enfants d'une dizaine d'années sont assis dans leur « cabane », un abri fait de planches clouées aux branches d'un grand érable. Ils ont même installé des barres de bois le long du tronc pour servir d'échelle.

— Enfin, c'est fini, dit un des enfants, un petit blond chétif. On va être bien.

— Y a encore des choses qu'on pourrait améliorer, fait valoir un brun trapu à lunettes. Le toit serait plus solide si on ajoutait d'autres clous, dans le coin, là.

— On n'a plus de clous, fait remarquer le troisième enfant, une fillette rousse au visage tacheté. C'est quand même bien comme ça.

Trois enfants comme des oiseaux dans un nid.

Ils échangent des sourires empreints de satisfaction et de fierté. Leurs voix se mêlent à celles des oiseaux environnants, et aux conversations du vent et des feuillages.

Mais aussi aux bruits de moteurs à proximité de ce bois.

— Chut ! fait le petit blond chétif. J'entends des pas.

Les deux autres se taisent et tendent l'oreille. Des pas approchent de leur arbre en faisant craquer les brindilles qui jonchent le sol.

— Hé ! Y a quelqu'un dans ma cabane, on dirait.

La fillette rousse au visage tacheté se penche vers l'entrée et jette un coup d'œil en bas, entre les feuillages.

— Un grand, murmure-t-elle. Qu'est-ce qu'on fait ?

— C'est pas sa cabane ! s'écrie le petit blond chétif. On l'a construite nous-mêmes !

Le grand, un gars de quatorze ou quinze ans, est maintenant au pied du grand érable. C'est un type long et maigre dont le gaminet blanc est taché de condiments.

— J'vous ai entendus ! Descendez de là ! Tout de suite ! lance-t-il d'une voix menaçante.

— Pas question ! C'est à nous ! rétorque le brun trapu à lunettes en se dressant, les poings serrés.

— Y a rien à vous autres ici ! Cet arbre-là, comme les autres, va bientôt être coupé pour la construction d'une nouvelle route. C'est mon père qui va avoir le contrat. C'est un ami du maire.

— Il monte ! Il s'en vient ! s'écrie le petit blond chétif.

— Ah ! non ! crie la fillette rousse au visage tacheté en se levant.

Les pieds du type long et maigre grincent le long de l'arbre. Sa tête aux cheveux hérissés et gras se dresse à l'entrée. La fillette rousse tente de lui flanquer un coup de pied, mais il l'attrape par la cheville. De l'autre main, il se hisse dans la cabane et pousse la fillette rousse tête première sur le tronc dur du grand érable. Elle se met à sangloter.

Le brun trapu à lunettes s'avance vers l'intrus d'un air déterminé. L'autre a au moins une tête de plus que lui, mais ce détail ne semble pas du tout l'intimider.

— Descends tout de suite. J'te le dirai pas deux fois.

— J'espère pour toi que tes parents ont une assurance pour tes lunettes, ti-cul.

— Pas nécessaire.

Le brun trapu à lunettes sert un uppercut retentissant, suivi d'une foudroyante combinaison de crochets des deux mains, au type long et maigre, qui tombe à la renverse, hors de la cabane. Celui-ci réussit tant bien que mal à s'accrocher à une branche et à amortir sa chute sur le derrière. Un petit nuage de poussière se forme autour de lui. Il se met à tousser.

UNE CLASSE D'ENFANTS

POURQUOI ÉTAIT-ELLE aussi férocement et unanimement détestée par toute la classe ?

Elle n'était ni de race ni de religion différentes des autres élèves de cette école de la banlieue de Montréal des années soixante. Avec son nez retroussé et ses yeux verts, elle n'était pas laide. Un peu chétive comme bien d'autres enfants, rien dans son physique, aucune tare particulière non plus ne semblait susceptible d'attirer sur elle les moqueries et l'agressivité des autres élèves. Elle était nouvelle à l'école cette année-là, mais elle n'était pas la seule.

Pourquoi elle ?

On disait qu'elle puait. On grimaçait ostensiblement en s'éloignant à son approche. Tout contact avec elle, le moindre frôlement accidentel pouvait vous contaminer irrémédiablement, sans que l'on sache pourquoi au juste. Quiconque lui aurait adressé la parole autrement que pour l'injurier se serait vu immédiatement stigmatisé et ostracisé par les autres élèves de cette classe de troisième année.

Un jour, pour changer la perception que l'on avait d'elle et tenter de se valoriser, elle apporta une revue qui contenait des photos de ses parents, tous deux chanteurs professionnels, beaux et élégants.

Elle avait étalé la revue sur son pupitre et en tournait les pages d'un air triomphal. Il y avait même un article. Les autres élèves s'approchaient avec réticence et jetaient un coup d'œil, la plupart en se bouchant le nez, comme d'habitude dès qu'ils passaient près d'elle.

Quelqu'un fit remarquer qu'elle ne ressemblait ni à son père ni à sa mère. Mais alors pas du tout. Elle fut ensuite bombardée de questions et il ressortit de cet interrogatoire brutal et persifleur qu'elle ne vivait pas avec ses parents et qu'elle ne les voyait jamais ni un ni l'autre. Elle ne portait d'ailleurs même pas le même nom qu'eux et était incapable d'expliquer pourquoi. Elle bafouillait et se perdait en propos confus, le visage rougissant et le regard fuyant.

Sa tentative de se faire accepter des autres se retournait contre elle. La classe se déchaîna. On lui lança des gommes à effacer et des feuilles de papier chiffonnées en la chahutant. C'était au retour de la récréation et notre institutrice n'était pas encore arrivée. Quand elle fit son entrée dans la classe, la fille était en proie à une crise de nerfs, elle hurlait, l'écume aux lèvres, sous les quolibets et les éclats de rire. La revue tremblait dans ses mains et même le couple souriant sur les photos semblait se moquer d'elle.

L'institutrice lui confisqua la revue et l'expulsa de la classe. Elle dut passer le reste de la journée dans le corridor avec son pupitre.

Un matin, quand je partis pour l'école, il tombait une neige abondante, épaisse et mouillée, si lourde qu'aucun vent ne la soulevait. J'habitais tout près, alors je me retrouvai comme toujours en quelques minutes devant la cour grillagée. J'aperçus des hordes d'enfants en train de se disputer une fois de plus le sommet d'un grand tas de neige appelé « la montagne ». Cette montagne, alimentée par les chasse-neige aux petites heures du matin, avait considérablement profité depuis la veille. Combats féroces. Bousculades et éclats de voix. Ceux qui arrivaient au sommet repoussaient en bas ceux qui tentaient d'y parvenir, jusqu'à ce que d'autres réussissent à les en déloger.

Plusieurs garçons et quelques filles de ma classe vinrent à ma rencontre au moment où je m'apprêtais à franchir l'ouverture de la clôture grillagée pour entrer dans la cour d'école. Une aura de complicité les unissait, ils étouffaient des rires gras et arboraient des sourires empreints de cruauté.

« Viens t'en ! me lança un des garçons. On va l'attaquer avec des boules de neige. Elle arrive toujours par le sentier. »

« Elle », je savais bien qui c'était.

Ils traversèrent la rue et je les suivis, en direction d'un boisé en face de l'école.

Le ciel était à la fois sombre et blafard. Le jour se démarquait à peine de la nuit dans ce matin privé de lumière.

Quand elle surgit, placide et rêveuse sous les gros flocons dans le tournant du sentier, les boules de neige se mirent à fuser. La neige étant très collante, on pouvait faire des boules vraiment dures.

Elle plaça ses mains devant son visage, mais les boules l'atteignaient tout de même violemment à la tête et éclataient sur sa tuque.

Elle tomba à genoux en bordure du sentier, s'enfonçant dans la neige jusqu'à la taille. Les boules continuant d'affluer, elle se prostra pour s'en protéger. Mais les boules éclataient encore sur sa tête, dans son dos et sur ses épaules, en lui arrachant chaque fois une petite secousse de douleur qui faisait pousser des cris de triomphe à ses assaillants heureux d'avoir atteint leur cible et de lui avoir fait mal.

La cloche de l'école sonna.

« On va être en retard ! cria quelqu'un. Venez-vous-en ! »

Je n'avais pas encore lancé une seule boule de neige, mais j'en avais une à la main. Pendant que le reste de la bande partait en courant vers l'école, je m'approchai de la forme prostrée en bordure du sentier comme une tache d'encre sur une page blanche.

Ses mains couvraient encore son visage et, entre ses doigts, elle me vit approcher, une boule de neige au bout de mon bras levé. Elle resserra aussitôt les doigts.

Le boisé était maintenant chargé de silence. On n'entendait que le gloussement d'un ruisseau sous la neige.

Je laissai tomber cette boule que je n'avais jamais eu l'intention de lui lancer.

Quand je fus tout près d'elle, je me penchai et j'écartai doucement ses mains de son visage. Elle se redressa lentement et me dévisagea avec crainte et étonnement.

Je me penchai encore davantage vers elle et je fis quelque chose d'impensable, la dernière chose à laquelle elle aurait pu s'attendre : je l'embrassai sur la joue.

Une flamme de vie surgit de ses yeux morts, une expression jusque là inconnue sur son visage apparut, un sourire ! et ce fut comme si le soleil se levait en pleine tempête.

Je l'aidai à s'extirper de la neige et à se relever.

Elle insista pour que je rentre avant elle en classe, pour que nous n'arrivions pas ensemble.

LIGNES DE DÉPART

I

L A NEIGE EST PROPRE comme le matin blanchi à l'horizon. L'éclat du soleil fait couler les yeux de l'enfant qui pense à la feuille blanche sur laquelle il voulait dessiner son père, un soir de tempête. La feuille est restée blanche.

L'enfant pleurait. Son père venait de partir dans la nuit enneigée. Des ombres s'étiraient dans le grondement de la route. Par la fenêtre, l'enfant avait suivi des yeux son père. Son père si grand quand il était près de lui, et qu'il voyait maintenant devenir de plus en plus petit au fond de la cour.

Il l'avait vu s'engouffrer dans la voiture. Puis la voiture s'était engouffrée dans la nuit et la tempête. Bientôt il ne resta plus de son père que deux petites lumières rouges sur la route.

Des larmes coulent sur les joues de l'enfant dans l'éclat du soleil.

II

Un homme aux cheveux blancs sort d'une maison dont le toit en pignon forme deux ailes de neige. L'éclat du soleil fait couler ses yeux. La maison ne s'envolera pas, mais lui ne verra sans doute pas le printemps.

Encore une fois, il n'a pas dormi de la nuit.

Les médecins lui ont dit de se préparer. Comment se prépare-t-on à disparaître ?

Le matin a la force tranquille des choses permanentes. La silhouette de l'homme est aussi pâle que la ligne d'horizon du paysage d'hiver.

Il observe les grands cèdres mâtinés de neige et retourne dans la maison pour les dessiner.

La feuille sur la table reste blanche ; elle ressemble trop à son avenir.

Soudain il entend du bruit. Il regarde dehors. Le voisin descend de sa voiture et un enfant court vers lui en poussant des cris de joie.

L'homme aux cheveux blancs retourne à sa feuille blanche et dessine les retrouvailles du père et du fils.

Il sait que le matin accueillera ensuite son sommeil.

ENTRE LES FISSURES

LE FANTÔME DE MIDI

ELLE ÉTAIT EN TRAIN DE PRÉPARER le dîner pour ses enfants, qui feraient irruption dans la maison d'un moment à l'autre en se chamaillant. Elle souriait en pensant à leurs éclats de voix et à leurs innocentes pitreries. Un rayon de soleil étincelait sur le rebord de la fenêtre, et la cuisine se trouvait baignée d'une lumière à la fois vive et douce. C'était ce qu'on appelle une belle journée.

Elle était penchée au-dessus du poêle pour brasser la soupe lorsqu'elle sentit une présence derrière elle. Cette présence silencieuse n'était certainement pas celle des enfants...

Elle se retourna et vit un jeune homme en costume kaki. Visage livide au regard confus.

Ce n'était pas quelqu'un qu'elle connaissait, mais il la fixait comme s'il attendait quelque chose. Ses yeux étaient d'un bleu dépoli, comme ceux d'un aveugle. Pourtant il voyait et semblait chercher dans sa mémoire des traces des lieux où il se trouvait. Il avait les lèvres délicates et vermeilles d'un enfant. Il les serrait et les desserrait comme un poisson cherche son oxygène quand il est hors de l'eau. La même angoisse tranquille, aussi.

Elle comprit qu'elle était en présence d'un soldat qui venait de mourir dans un pays lointain et qui cherchait à retourner chez lui.

« C'est pas chez toi, ici, lui dit-elle doucement. Tu t'es trompé de maison. »

Le temps qu'elle cligne des yeux, le soldat avait disparu.

INSUBORDINATION

Devant l'ambassade des États-Unis d'Amérique, se tenaient des gardes en uniformes bleus et noirs, la mine patibulaire, les yeux cachés derrière des verres fumés des plus sombres. Ils se tenaient droit, les bras légèrement écartés du corps, revolver à la cuisse et matraque à la ceinture.

Dans la rue, une foule de manifestants brandissaient des pancartes sur lesquelles on pouvait lire, entre autres :

« Bush et Blair, criminels de guerre. »

Les gardes demeuraient aussi impassibles que menaçants, et la foule scandait : « Non à la guerre, oui à la paix. »

Un soleil printanier réchauffait ce samedi après-midi de mars. Après un hiver particulièrement froid, et alors que la menace de guerre contre l'Irak planait depuis des mois, ce soleil semblait symboliser à la fois l'espoir d'un temps plus doux et de jours meilleurs.

Au bout d'un certain temps, on se lassa des slogans répétitifs accompagnés de tam-tams. Sur une chaîne stéréo portative, on fit jouer des chansons pacifistes bien connues, comme *Le déserteur* de Boris Vian et *Quand les hommes vivront d'amour* de Raymond Lévesque. Puis ce fut l'incontournable *Imagine* de John Lennon, et la foule se mit à chanter à l'unisson.

Personne ne portait attention aux gardes postés devant l'ambassade lorsque l'un d'eux se mit à fredonner la chanson en se dandinant discrètement.

Imagine all the people
Living life in peace

Le garde s'aperçut que quelqu'un dans la foule le regardait d'un air étonné.

Il s'arrêta aussitôt de fredonner, en un éclair s'efforça de durcir son visage pour reprendre sa mine patibulaire, se redressa en bombant le torse et reprit sa position, les bras légèrement écartés du corps, revolver à la cuisse et matraque à la ceinture, d'un air aussi impassible que menaçant.

PARTITION

JE SAVAIS QU'ELLE N'EN AVAIT PAS pour longtemps. Même si au plus fort de notre union, elle semblait éternelle.

Nous avons vraiment eu de bons moments ensemble. Avec elle, le temps se figeait, suspendait enfin son vol, comme l'en implorait jadis Lamartine. Avec elle, je pouvais marcher sur l'eau, comme un vrai fils de Dieu ; c'était un miracle quotidien.

Le midi, pendant que les autres restaient enfermés dans leurs occupations, je m'évadais du bureau pour aller la retrouver. Elle se laissait dévêtir de sa robe blanche au soleil, et personne ne semblait rien remarquer. Nous étions dans notre bulle de rêve.

Souvent, à mon retour, des collègues me disaient, en cherchant à obtenir mon assentiment : « Il fait froid. » Mais je souriais et répondais : « Il fait beau. » Et c'était vrai ! Elle embellissait mes journées.

Le soleil la tuait, mais elle n'aurait pu s'en éloigner. Elle vivait sans se plaindre avec cette fatalité.

Rongée par le mal qui l'emportait, elle restait belle bien que transformée. Elle m'éblouissait de cristaux de lumière et me faisait comprendre qu'il est possible de disparaître tranquillement et en beauté.

Les derniers temps, pâle et brisée, très diminuée, alors qu'elle restait étendue sous les chauds rayons du printemps, des outardes venaient se poser sur elle, faisaient quelques pas, délicatement, puis s'envolaient de nouveau vers le ciel, où elle irait bientôt les rejoindre.

Elle n'a jamais montré le moindre signe de douleur. Et elle s'est laissée emporter par le temps qui coulait et la faisait fondre de plus en plus.

Elle a laissé ses forces se dissoudre, s'est laissée mourir morceau par morceau, en toute sérénité, pendant que des centaines d'oiseaux en délire se rassemblaient sur un îlot aux roches millénaires pour acclamer le printemps.

Elle m'a ébloui jusque dans l'agonie.

Maintenant c'est fini, elle n'est plus.

Et le monde n'est plus pareil sans elle... la glace sur la rivière.

DÉBÂCLE

ILS DESCENDENT EN SILENCE L'ESCALIER abrupt qui mène au quai.

Les montagnes boisées portent des foulards de brume. Une masse nuageuse étend sa grisaille sur la rivière qui dégèle. On peut voir et entendre la glace se fendre. Par larges plaques ou en petits morceaux, elle glisse lentement sur l'eau argentée, accompagnée de vapeurs blanches qui semblent provenir d'un incendie.

Ils ont environ dix-huit ou dix-neuf ans. Deux jeunes hommes.

L'un d'eux tient une caisse de bière sous son bras. Ses pas résonnent lourdement sur le quai. Sa démarche et ses grands yeux à la fois tristes et perçants lui donnent l'aspect d'un hibou en plein jour, dans cet après-midi de printemps, sombre et envoûtant.

Avec son long nez et sa petite bouche juste en dessous, formant une sorte de bec, l'autre aussi a l'air d'un oiseau. Il serait difficile de dire lequel exactement, mais c'est certainement un oiseau qui vit près de l'eau. À sa façon de contempler la rivière et de s'asseoir à son aise sur le banc pourtant craqué, on voit qu'il est dans son élément.

Le Hibou ouvre la caisse de bière et s'accroupit pour mettre quelques bouteilles au frais dans la glace, entre un tronc d'arbre et le bord du quai. Le dos voûté, tourné à son compagnon, il lance à l'improviste : « Ma sœur et moi, on s'est jamais beaucoup parlé. J'aurais préféré avoir un frère. Mais ce qu'elle m'a dit hier à propos de mon père, c'est... »

Il se redresse et se retourne, les yeux baissés, une bouteille de bière dans chaque main. Il en tend une à son compagnon, qui le dévisage.

Le Hibou s'assoit et prend une longue gorgée. Puis il éclate d'un rire strident et rempli d'amertume. Un goéland lui répond au loin, comme un écho. Et la rivière craque de partout.

« Ma sœur ! Une vraie sainte-nitouche ! J'aurais jamais pensé ça. Les gars la trouvaient froide, distante. (Il prend une respiration par le nez et ses narines tremblent.) Maintenant, j'sais pourquoi. C'est à cause de mon père. »

Il lève les yeux et son regard se perd dans les montagnes embrumées. L'autre oiseau baisse les yeux vers la rivière. La glace est en train de se fendre sans bruit.

Décor en noir et blanc.

« Pendant des années, il l'a forcée à faire avec lui les choses qu'il faisait plus avec ma mère... J'ai jamais été proche de ma sœur, on s'est jamais parlé beaucoup. J'ai toujours été le délinquant de la famille ; elle, la fille sage. Quand elle m'a dit que mon père avait fait ça, lui qui m'a tellement répété qu'on devient vraiment un homme seulement si on apprend à respecter les lois... J'comprends pas ! Le pire, c'est que j'commençais à l'écouter, mon père. J'commençais à trouver qu'il avait raison. Mais tout ce temps-là, lui... ça m'écœure ! J'sais pas quoi dire, j'sais pas quoi faire. J'commençais à respecter mon père, à l'apprécier, même. Après ce que ma sœur m'a dit, j'le déteste. J'aurais envie de le frapper, j'aurais envie de... »

Il serre la bouteille de bière très fort dans sa main. Puis il la pose sur le banc à côté de lui, sort un paquet de cigarettes de sa poche, s'en allume une et souffle une bouffée de fumée qui s'en va rejoindre la brume sur la rivière et dans les montagnes.

Il se tourne vers son compagnon et le dévisage, les traits ravagés par la douleur et la colère, comme s'il attendait une réponse.

L'oiseau de la rivière prend à son tour une longue gorgée de bière, puis s'allume une cigarette. Entre deux bouffées, il se mordille les lèvres. Un minuscule volatile, un ange noir, peut-être, passe au-dessus de la rivière, traverse subrepticement le paysage enfumé.

— Y a pas longtemps, on pêchait sur la glace. Maintenant c'est fini. Une nouvelle saison commence. Je regarde la rivière redevenir une rivière. Le courant bouge lentement. L'eau reprend le dessus sur la glace. Le reste est caché par la brume. Comment savoir de quoi sera fait le printemps ? Y a des moments de vérité, c'est sûr. Ta sœur a besoin de toi, mon vieux.

— C'est trop pour moi, laisse tomber le Hibou, en regardant la brume s'enrouler davantage aux arbres des montagnes.

Le ciel donne l'accolade à la rivière. Et une pluie fine se met à tomber.

PERTE DE VITESSE

ESSOUFFLÉE, EN SUEUR, elle se dépêche.

En l'espace de quelques dizaines de kilomètres, elle passe tous les jours d'un fuseau horaire à un autre ; et elle souffre du décalage. Il lui manque toujours des heures dans sa journée.

Elle se dirige d'un pas pressé vers sa voiture, après le travail, la tête remplie de voix qui lui soufflent tout ce qu'il lui reste à faire aujourd'hui, comme des répliques sur la scène quotidienne de son agitation.

En fait, elle ne se dirige pas vraiment ; ce sont plutôt ses pieds aux pas pressés qui l'entraînent. Depuis des années, elle sort du même édifice en catastrophe vers la fin de l'après-midi. Quelques pas à droite, quelques pas à gauche ; pendant qu'une liste de choses à faire défile sur l'écran de ses pensées, en lettres de sang.

Sa voiture est toujours stationnée exactement au même endroit. Aussi, c'est tout à fait machinalement qu'elle a l'habitude de sortir son trousseau de clés, d'ouvrir la portière, de démarrer et de se lancer avec agressivité dans la circulation coagulée de l'heure de pointe.

Mais aujourd'hui elle se rappelle soudainement qu'elle n'a pas stationné sa voiture à l'endroit habituel, pour quelque raison administrative, compliquée et banale.

Elle se rappelle qu'elle n'a pas stationné sa voiture à l'endroit habituel. Mais quand son pas pressé et machinal devient confus et désordonné, elle se rend compte qu'elle ne se souvient pas où elle l'a stationnée, cette voiture.

Les choses à faire, les choses à ne pas oublier, les choses qui l'ont perturbée au cours de la journée et qu'elle aimerait oublier ; toutes ces choses qui défilaient en zigzaguant dans sa tête, comme des véhicules de stress dans la circulation dense d'une autoroute à plusieurs voies à l'heure de pointe ; toutes ces choses se heurtent les unes aux autres quand elle s'arrête brusquement, haletante et au bord des larmes. Carambolage monstre.

Elle sort son cellulaire, s'apprête à composer un numéro, puis interrompt son geste.

Image sur pause.

Qui pourrait lui répondre ? Elle était seule quand elle a stationné cette voiture ce matin.

Immobile sur le trottoir. Elle ne parvient pas davantage à reprendre son souffle qu'à se souvenir de l'endroit où...

Elle sent ses vêtements coller à sa peau. Son cœur cogne dans sa poitrine comme un être en détresse derrière une porte verrouillée.

On ne peut rester immobile sur le trottoir. À moins d'attendre une pièce de monnaie. Des passants à qui distribuer des dépliants. Un taxi, à la rigueur. À moins d'attendre quelqu'un, pour quoi que ce soit. Mais elle n'attend personne. Sauf elle-même.

Elle se met à trépigner d'une rage impuissante.

Des voitures passent et leurs chauffeurs lui jettent des regards étonnés, inquiets ou méprisants.

Des voitures ! Il y en a partout. Stationnées le long des rues et sur les terrains gris des immeubles du centre-ville.

Mais la sienne, elle est où ? Où ?

Le vent et les voitures qui passent font danser lentement la poussière d'avril et les cendres du soleil.

Une visite au printemps

Dès qu'il eut ouvert la porte, ils entrèrent avec le vent et le soleil, sans un mot, et il reçut un lourd coup de poing en plein ventre.

Il se plia en deux, le souffle coupé. Sa vue se brouilla. Il revit les soupers de famille. Le sourire de son père. Les frères et sœurs, restés pareils, mystérieusement, depuis l'enfance, comme si le vieillissement qu'ils affichaient n'était qu'un déguisement pour s'amuser. Il revit sa mère prenant place à la table. Les verres levés bien haut pour porter un toast à tout et à rien, au miracle d'être tous réunis, y compris les enfants des enfants, héritiers sautillants des mondes imaginaires, des jeux bénins et du temps fragile. Il sentit même la chaleur du vin dans son ventre, et à cette scène familiale se superposèrent dans sa mémoire des images à la fois semblables et très différentes, des toasts portés entre amis, des groupes de cinq, dix, quinze, vingt amis ou connaissances, parfois plus. Et parmi ces gens, quelques inconnus, tout juste rencontrés, et qu'il rencontrait aussi pour la dernière fois sans le savoir. Il se revoyait, dans des gestes ralentis, trinquant avec tous ces gens, à l'occasion d'un projet ou d'un évènement ; parfois pour refaire le monde autour d'un verre et d'une bonne table, mais le plus souvent pour qu'il ne se laisse pas faire et défaire, le monde.

Un cruel coup de pied l'atteignit ensuite directement dans les parties génitales.

Il poussa un gémissement de bête et tomba à genoux dans une flaque de soleil sur le plancher. Le soleil entrait par une lucarne au-dessus du vestibule. Il cligna des yeux dans cette lumière jaune et aussi chaude que les larmes qui coulaient sur les ailes de son nez. Il revit des femmes nues dans ses bras, ou bien c'était lui qui était nu sous leurs caresses. Des scènes érotiques s'enchaînaient. Au centre, l'épouse. Il revoyait la lueur de son regard dans les moments lubriques. Une lueur souriante qui éclairait tout son visage. Leurs orgasmes simultanés. Les fois où l'un des deux se consacrait entièrement à la jouissance de l'autre, sans rien réclamer. Les fois où ils restaient simplement blottis l'un contre l'autre. Peut-être même qu'à deux ils n'étaient qu'un, l'un dans l'autre. Pourtant, dans tous les coins de l'écran, des scènes érotiques apparaissaient où il était bien l'homme, mais où l'épouse n'était pas la femme. Mais certaines de ces femmes étaient aussi l'épouse, chacune à sa façon, à une époque ou une autre. Toutes les scènes finirent par se superposer à celle du centre, et il se revit caressant la tête d'une femme entre ses jambes. Il ne distinguait pas son visage et ne pouvait en aucune façon identifier cette femme. Il savait seulement que son nom viendrait à ses lèvres au moment de jouir.

Il reçut un coup de poing terrible au visage et sentit que des os se brisaient. Ce coup de poing fut immédiatement suivi d'un coup de pied à la tête qui l'envoya rouler sur le plancher, dans la flaque chaude du soleil qui entrait par la fenêtre du vestibule.

Il se revit en train de réfléchir dans son fauteuil préféré, ou dehors sur une chaise de parterre. Et à bien d'autres endroits aussi. Souvent en marchant de par les rues et les sentiers. Il savait jouir de son cerveau comme de son corps. Il se revit avec un livre entre les mains, le soir sous une lampe, le jour près d'une fenêtre ensoleillée, ou dehors quand le temps le permettait. Tous ces mots qu'il parcourait en les déchiffrant et en les analysant, en les savourant quand c'était les mots d'un véritable artiste ou d'un penseur éclairé, tous ces mots ne redevenaient maintenant, dans sa tête endolorie, que des assemblages de lettres, des combinaisons alphabétiques sans suite, et finalement, des signes impénétrables. Pourtant, il se revit ensuite devant l'ordinateur, les doigts sur le clavier faisant apparaître des mots à l'écran, et il pouvait sentir tout ce que ces mots avaient d'important dans sa vie, même s'ils avaient perdu leur sens, comme sa vie, qui n'était déjà plus qu'un souvenir, de plus en plus lointain à chaque nouveau coup qu'il recevait.

ÉCHAUDOIR

UN APRÈS-MIDI D'ÉTÉ. Le ciel pleure des ruisseaux de pluie, qui bouillonnent le long des trottoirs.

Parfois l'averse diminue. Quelques gouttes plus insistantes que les autres piquent les flaques cuivrées et frissonnantes, mais en silence, comme si des êtres invisibles se livraient à un envoûtement.

Une lueur mauve et dorée illumine la grisaille du ciel, sans toutefois parvenir à la traverser. La masse nuageuse retrouve bientôt sa noirceur d'ecchymose et le ciel pleure encore plus fort sur l'épaule de la terre.

Dans un abattoir, un homme jette une autre volaille dans la grande cuve appelée « échaudoir », où elle va tremper dans l'eau chaude avant d'être plumée.

Crépitement sur les toits. Comme un feu d'eau. Mitraille de larmes.

Mêlant le bruit de leurs pas aux percussions de la pluie, des fantômes en profitent pour se dégourdir sans ameuter les vivants.

Et pourtant...

Un rideau de pluie accroché à un auvent au-dessus d'une fenêtre. Les gouttes tombent droites et longues, s'étirent comme des cordes tressées de perles. Derrière ce rideau et derrière la vitre, dans l'éclat satiné d'une lumière jaunie : le visage de Pénélope.

Triste temps pour être en vacances.

Son fils est dans sa chambre en train de livrer un combat aussi acharné que virtuel à d'illusoires forces du mal. Son conjoint est à son travail ; ils n'ont pas réussi à avoir congé en même temps.

On a beau profiter du mauvais temps pour faire du ménage, quand tout est rangé, épousseté, astiqué, on finit par se promener dans la maison comme une bête en cage.

Rien de bon à la télé.

Plus de livres à lire en réserve.

Elle va vers la porte-fenêtre de la salle à manger qui donne sur la cour arrière. La piscine hors terre est un tambour d'eau sous les doigts de la pluie.

Elle s'en va dans sa chambre et ferme la porte. Elle déboutonne son jean, humecte d'un bref et gracieux coup de langue chacun de ses doigts, et glisse sa main dans son slip rose. Mais elle se ravise aussitôt, reboutonne son jean et sort de sa chambre en poussant un long soupir.

C'est alors qu'elle aperçoit, dans l'étroit passage qui mène au salon, une cassette vidéo sur une table vernie. C'est la cassette que son beau-père a apportée hier et qu'elle n'a pas encore visionnée.

« Vous allez aimer ça. C'est des bons souvenirs. J'suis tombé dessus en faisant du ménage. Il pleut tellement ces jours-ci. En tout cas, j'en avais plusieurs, des cassettes, pas du tout identifiées. Ça fait que comme y avait pas grand-chose à faire, j'les ai regardées. Sur celle-là, y a toi pis Ulysse. J'pense bien que c'était dans les premiers temps que vous vous êtes connus. »

Oui, c'était dans les premiers temps, il y a dix ans. Ulysse avait encore un toupet, et Pénélope, les cheveux jusqu'aux fesses. Et comme ils étaient minces tous les deux ! C'était l'été, une belle journée d'été, contrairement à aujourd'hui.

Des pattes d'oie autour des yeux, Pénélope se désole de la fuite du temps en regardant ces images d'un passé révolu.

Pendant ce temps, Ulysse jette une autre volaille dans l'échaudoir.

La jeune femme aux longs cheveux, au visage éblouissant de jeunesse et aux yeux pétillants s'approche de l'objectif de la caméra, comme pour narguer son double vieillissant. Son compagnon, beau et jeune lui aussi, arrive derrière elle et l'enlace avec tendresse et sensualité. Joue contre joue, ils n'ont pas besoin de forcer un sourire ; ils débordent du plaisir d'être ensemble.

Pénélope tend la main vers l'écran, mais la retire aussitôt. La statique de ce téléviseur désuet lui a fait prendre un choc. Elle avait aperçu un peu de poussière dans un coin de l'écran et elle voulait juste...

Pénélope éteint l'image d'un geste agressif et retourne à la fenêtre qui donne sur la rue.

Un rideau de cordes tressées de perles.

Et de larmes.

LE VERTIGE DU SOLEIL

LA FOULE DES GESTIONNAIRES se dirige vers deux grandes portes bien ouvertes ; elle marche vers la suite des opérations après trois jours d'ateliers et de discours. Dans la salle qui se vide, résonnent encore les applaudissements nourris et les bravos qui ont salué le dernier conférencier. Et de la rumeur des voix se détachent des bribes de la bonne nouvelle qu'il a apportée aux participants.

« Au début, j'me sentais un peu mal à l'aise, mais il m'a convaincue. Son exemple m'a parlé. Les gens qu'il a tués, quelqu'un d'autre les aurait tués si ça avait pas été lui. »

« Il m'a fait comprendre qu'il faut pas avoir peur de se mouiller, même si on sait pas à quoi ça va aboutir. Lui, s'il était pas allé aussi loin dans le crime, il aurait pas été en mesure d'aider ensuite la police à combattre et à défaire des réseaux criminels. »

Marcel ne dit rien.

Il a des étourdissements et se sent nauséeux.

Besoin de prendre l'air, même s'il sait que dehors il n'y a pas d'air, rien qu'une chaleur suffocante sous un soleil en train de se noyer dans le smog.

De l'autre côté de la rue, les arbres épanchent leurs ombres sur les vieux trottoirs gondolés. Une longue coulée de sueur sur la tempe, Marcel traverse d'un pas accablé. Il se glisse sous les feuillages pour échapper un peu à la chaleur de fonderie qui enserre la ville. Et cet édifice qui semble si loin, même s'il domine le paysage urbain, dans l'air tremblant de chaleur humide et d'oxyde de carbone.

Marcel défait le nœud de sa cravate, s'éponge le cou du bout des doigts, pousse une sorte de soupir rauque qui pourrait aussi bien être un râle, et refait son nœud en le serrant encore une fois à s'étouffer. Il sort ensuite son cellulaire de la poche de son veston sans couleur et se lance dans une conversation animée tout en continuant de marcher.

Marcel passe près d'un homme au visage couvert de plaques rougeâtres et portant un pantalon déchiré à plusieurs endroits et un chandail taché par la sueur. L'homme tend une casquette contenant à peine quelques pièces de menue monnaie. Marcel passe son chemin sans le voir, mais le mendiant a le temps de l'entendre parler au téléphone.

« Tu comprends ? J'ai pas encore atteint mes objectifs budgétaires. Au moins deux autres postes à couper. Mais j'ai seulement le choix entre des gens qui vivent d'un seul salaire. Lisette a trois enfants. Édouard, un seul, mais sa femme est à la maison. Marie-Paul ? Elle, j'me souviens même plus de sa situation. »

Le long d'un parapet surplombant un boulevard quelques dizaines de mètres plus bas, Marcel marche sur une étroite allée de béton qui sert aussi de terrasse. Avec son lourd complet-veston sans couleur, il se fond dans le décor morne des abords de l'édifice. Il se faufile entre quelques tables où des employés tiennent des propos peu flatteurs au sujet de leurs gestionnaires, qualifiés de « coupe-gorges », « trous de cul », « incompétents », « inhumains ».

Lourde chaleur. Le bruit des voitures et des autobus en bas. Marcel se sent de plus en plus étourdi. Il hâte le pas. Mais plus il marche vite, plus il a chaud et plus le vertige s'empare de lui.

Il longe des bancs où sont assises des femmes bien moulées dans des robes légères et colorées. Elles croisent leurs jambes nues et bronzées, et leurs regards glissent sur Marcel sans le voir pour s'attarder à des hommes en tenue plus sportive et au teint plus sain. Une femme à la poitrine forte et bien sculptée dans un corps mince passe près de Marcel en le frôlant presque, et il ne peut s'empêcher de se retourner pour la suivre des yeux.

Tout se met alors à tourner.

Marcel se sent perdre pied et s'agrippe au parapet.

Il voit le soleil tournoyer et vaciller, puis la lumière l'éblouit complètement.

Un anniversaire

« TU ME TROUVES PAS ASSEZ JOLIE, c'est ça ? Bon, j'vais m'arranger un peu. »

Elle sortit un petit miroir de la poche de son manteau rose et gris, et inspecta sans complaisance son visage grêlé au teint de sable. Des yeux minuscules, presque sans paupières, d'un bleu très délavé. Le nez, par contre, bien en évidence, un peu en trompette, un nez fait pour humer. Les lèvres plutôt charnues, bien que pâles et craquelées.

Elle appliqua une couche de rouge à lèvres d'une teinte orangée sur sa bouche entrouverte et presque grimaçante. Elle crayonna une ligne de mascara sous ses cils. Dans le petit miroir entre ses doigts noueux, je vis passer un reflet mauve à la surface pâle de ses yeux minuscules. Elle ajouta un peu de fond de teint sur ses pommettes. Elle les avait hautes et ses joues un peu creuses les faisaient ressortir. Elle passa aussi une main dans ses cheveux décolorés, qui ressemblaient aux cordages d'une vadrouille.

« C'est mieux comme ça, non ? »

Je lui souris avec tristesse...

« J'connais un bon endroit où on pourrait stationner », continua-t-elle. « Tu tournes ici et j'vais t'indiquer. Y a personne qui va là, c'est vraiment tranquille. On sera pas dérangés, tu vas voir. »

Quelques minutes plus tôt, je m'étais arrêté pour faire monter cette auto-stoppeuse. Je revenais de dîner et je m'en retournais au bureau. J'étais un peu serré dans le temps, mais c'était une froide journée d'automne, sombre et venteuse, et cette femme qui m'avait tendu le pouce grelottait au bord de la rue. Je pensais la déposer un peu plus loin si c'était sur mon chemin. Maintenant les choses ne se passaient pas du tout comme prévu.

« Es-tu de la police ? demanda-t-elle avec un mélange de panique et de colère dans la voix. C'est pour ça que tu veux pas ? C'est ça ? Tu vas m'arrêter ? »

Je lui dis que non, je n'étais pas de la police, et que j'étais prêt à la déposer où elle voudrait, si c'était sur mon chemin.

Elle jeta un coup d'œil par-dessus son épaule, derrière la voiture, comme pour s'assurer que nous n'étions pas suivis, puis elle se tourna entièrement vers moi :

« Écoute, c'est l'anniversaire de mon fils aujourd'hui. J'tiens à lui acheter un cadeau. D'habitude il en a jamais, tu comprends ? J'te fais ça pour dix dollars au lieu de vingt. »

J'offris de lui donner simplement les dix dollars pour l'aider à acheter un cadeau à son fils, mais elle me demanda de la déposer et partit sans me saluer.

Dans le rétroviseur, je la vis tendre le bras et étirer le pouce vers une autre voiture, en grelottant dans les feuilles mortes balayées par le vent au bord de la rue.

LES FORCES FRAGILES DE L'OMBRE

DE GLACE ET DE FEU

TRENTE SOUS ZÉRO UN SOIR DE MI-JANVIER. Par la fenêtre, un ciel d'un noir bleuté, rendu phosphorescent par l'éclat de la pleine lune, un pamplemousse polaire accroché à l'arbre du cosmos. J'étais en train de relire *Le nuage en pantalon* de Maïakovski.

Vers les gens qui tremblent d'effroi
dans la quiétude du logis,
la lueur aux cent yeux désamarre.
Mon dernier cri,
toi au moins clame à la face des siècles
que je brûle !

Un nuage passa à la fenêtre, un nuage particulièrement sombre et mobile. Pourtant, un peu plus tôt, il faisait un froid statique et clair, comme si même le vent et les nuages étaient allés se mettre à l'abri.

Je déposai le recueil de poésie sur le bras du fauteuil, en le laissant ouvert, et je me levai et m'approchai de la fenêtre.

À trois rues de chez moi, un immeuble à appartements s'était transformé en château de flammes et crachait une épaisse fumée à la face de la lune.

Soudain
les nuages
et toute la nuagerie,
ont soulevé au ciel une houle inouïe
comme si s'égaillaient des ouvriers en blanc
déclenchant contre le ciel une grève sauvage.

Je téléphonai au service d'urgence 9-1-1 pour signaler l'incendie, mais on était déjà au courant. Et en effet, en y regardant mieux, je vis des jets de lances d'arrosage qui ressemblaient à des pipis d'enfants sur l'immense brasier.

La lumière sous laquelle je veillais s'éteignit brusquement, en même temps que toutes les fenêtres et tous les lampadaires des environs. Là où j'étais, dans le loft au quatrième étage de ma maison, je pouvais voir le quartier tout entier plongé dans l'obscurité, ce qui conférait à l'incendie un aspect apocalyptique. Des parties du toit de l'immeuble en feu s'effondraient et les flammes gagnaient en hauteur et s'agitaient furieusement.

J'allumai une chandelle pour éclairer la pièce, et j'eus l'impression de participer malgré moi à un étrange rituel.

Puis il me vint à l'idée que, sans électricité, je me retrouvais également sans chauffage. À trente sous zéro dehors.

Je décidai quand même d'aller me coucher. Je ne pouvais rien faire contre l'incendie ni pour réchauffer la maison. S'il venait à faire trop froid, je me réveillerais sûrement et alors il faudrait évacuer. Mais il était aussi possible que le courant soit rétabli avant que j'en arrive là.

Évacuer. Avant de me coucher, je regardai une dernière fois l'incendie par la fenêtre en pensant aux pauvres gens qui se retrouvaient à la rue par un froid pareil. Certains résidants de l'immeuble étaient peut-être, à l'opposé, en train de périr dans les flammes, parmi lesquelles des arbres de glace avaient poussé à une vitesse inouïe. L'eau des lances d'arrosage gelait à mesure qu'elle était projetée sur le feu.

Je m'allongeai sous les couvertures et fermai les yeux. À travers les flammes qui continuaient de danser avec frénésie, le visage intense de Maïakovski apparaissait comme derrière un rideau d'une couleur vive mais transparente. Sa voix remontait de la Russie de 1915 comme l'écho d'une explosion, traversait les époques et les continents, jusqu'à cette nuit de janvier 2003 en Amérique du Nord. D'autres voix, en différentes langues, se joignaient à la sienne. Les visages et les silhouettes se multipliaient dans un grand brasier diaphane.

C'étaient les héros et les victimes de tous les rêves restés en suspens.

Rouge nuit

IL S'ASSOIT DANS SON FAUTEUIL, un journal entre les mains.

Une heure du matin. Il feuillette des pages publicitaires.

In the mood for love, un film de Wong Kar Wai, cinéaste du cœur ensorcelé et de la mélancolie des sens exacerbés.

In the mood for love.

La Chine.

L'amour.

L'amour triste et contrarié. Sans issue.

tu danses dans le rouge de la nuit
dans la brume des larmes
tes bras tendus vers mon ombre

tu ris pour cacher que tu pleures
je souris pour ne pas grimacer
nous parlons à l'envers de nous-mêmes

ton corps une arabesque
la fumée d'un foyer de douleur
dans le passage obligé du temps

j'avance vers toi et tu recules
je me détourne et tu t'approches
chacun est l'aimant
chacun est le fer

Il se dit qu'un chien hurle jusqu'à Hong-Kong, quelque part dans l'air froid et blanc comme la nuit qu'il passe. Il se dit toutes sortes de choses.

Mais il n'a rien entendu et il n'y a rien à entendre. Que le tic-tac d'une horloge démodée. Et l'électricité dans l'ordinateur, à l'écran aussi sombre que le ciel sans étoiles de cette nuit d'hiver.

L'ordinateur reste pourtant allumé, mais il n'y touche pas. Le ciel aussi reste allumé, même s'il n'y a rien à voir.

C'est comme lui qui reste éveillé, *in the mood for love,* en chute libre dans ses pensées.

je bois à la fontaine de tes yeux
la joie mêlée au désespoir
le sel du premier et du dernier rivage

englouti sous l'océan
notre havre de paroles étoilées
long feu nos corps à corps de soleil rêvé

j'embrasse les braises de nos traces
ne me repousse pas
j'aime tellement t'aimer

les maux de l'amour s'exhalent
sur une scène oblongue
l'œil d'une chandelle entièrement consumée

TU CROYAIS TOUT TRANQUILLE

JE SECOUAI LA NEIGE DE MES BOTTES et de mon perfecto noir avant d'entrer.

Avec un certain dédain, Jules prit mon perfecto et l'accrocha à une patère.

Françoise me regardait enlever mes bottes. Un morceau de neige resté collé à une des semelles se détacha et roula sur le petit tapis du vestibule jusqu'au carrelage du plancher. Le regard de Françoise se figea. Elle observa attentivement mon geste lorsque je ramassai le morceau de neige et elle attendit pour voir ce que j'en ferais. La chose à faire, bien sûr, était tout simplement de le déposer sur le petit tapis, mais j'hésitais devant ce regard inquisiteur. Elle remarqua mon embarras et ne dit pas un mot pour me mettre à l'aise.

Jules, qui n'avait rien vu, se retourna après avoir accroché mon perfecto et il eut la politesse de vouloir me serrer la main. Le morceau de neige resta collé dans sa paume. Une grimace d'étonnement se répandit comme une secousse sismique sur son visage.

D'un signe de tête, j'attirai son attention vers mes bottes sur le tapis. D'un air magnanime, il me fit signe qu'il comprenait.

Le salon brillait de propreté et d'absence de vie. Toute chose était si bien rangée qu'aucun être de chair et de sang ne pouvait se prélasser dans ce salon sans avoir l'impression de profaner un sanctuaire.

Je m'étais tout de même installé à mon aise dans un fauteuil, les bras derrière la tête et les jambes allongées. Je portais des jeans de velours côtelé et un col roulé.

Jules, lui, gardait le dos droit, bras et jambes croisés. Sa cravate à rayures beiges n'était même pas dénouée. Il avait retiré son veston, mais n'avait pas roulé les manches de sa chemise.

Sa conversation oscillait entre sa nouvelle souffleuse et son travail d'administrateur. Je l'écoutais poliment en m'efforçant d'avoir l'air intéressé.

Pendant le souper, je laissai Jules et Françoise parler à leur aise de leur quotidien et de leurs emplois.

Je tournais instinctivement la tête vers une fenêtre. La neige tombait doucement devant un lampadaire planté comme une sentinelle.

Le cellulaire que Jules gardait toujours à portée de la main entonna les premières mesures de l'hymne national des États-Unis d'Amérique.

— Allô !... Oui, c'est moi... Ah... Euh... Non... Oui, j'suis passé à la banque, mais... Oui, t'as dû te faire jouer un tour, parce que... Non, j'plaisante pas, j'suis désolé. J'comprends que c'est embarrassant... J'suis vraiment désolé... C'est... J'sais pas quoi dire... C'est ça... Bonsoir.

— Qu'est-ce que c'était ? demanda Françoise.

— Oh ! Rien. Une erreur.

— D'accord, mais... C'était qui ?

— Une employée de la banque.

— La banque ? Qu'est-ce qu'ils veulent ? On a fait tous nos paiements ! C'est quoi l'problème ?

— Non, c'est pas ça. C'est juste une employée qui s'est fait jouer un tour par ses collègues...

— Comment ça ?

— C'est pas important. C'est rien. Une niaiserie.

Jules se leva de table et Françoise le suivit des yeux.

— Comment elle s'appelle ta « niaiserie » ? demanda-t-elle avec un sourire sagace.

— Catherine, j'pense. Elle m'a dit aussi son nom de famille, mais j'ai pas bien entendu...

— Et ensuite ?

— Bof ! Ensuite, pas grand-chose. Après que j'suis passé tantôt, une des filles lui aurait dit que j'avais laissé un message pour elle, comme quoi j'voulais qu'elle m'appelle après la fermeture de la banque. C'est ce qu'elle a fait. Elle a dû trouver mon numéro de téléphone dans mon dossier. C'est tout.

Françoise braqua sur Jules un regard de détective.

— Si Catherine a mordu à l'hameçon, analysa-t-elle, ça veut dire qu'elle est intéressée. Et si les autres lui ont joué ce tour-là en te choisissant, toi, c'est pas pour rien...

Debout de l'autre côté de la table, Jules semblait ne pas savoir quoi faire de ses mains. Il appuya son bassin contre un large buffet en bois verni sur lequel il posa aussi une main.

Mais il la retira aussitôt.

Il venait de se piquer le bout de l'index sur une épingle à coudre. C'était probablement, dans toute la maison, le seul objet qui traînait.

Jules jeta un bref coup d'œil à la goutte de sang qui perlait à son doigt, et la regarda grossir.

Environ une heure plus tard, nous étions assis tous les trois dans le salon. Par la fenêtre, les flocons de neige devenaient de gros morceaux de ouate, comme pour panser les blessures de la terre, et les lampadaires demeuraient stoïques sous leurs casques de soldat.

Jules parlait en expert des marchés financiers, je l'écoutais poliment et Françoise restait pensive.

— De quoi elle a l'air, cette Catherine-là ? demanda-t-elle, en émergeant de ses cogitations.

Des vers de Saint-Denys Garneau me revinrent en mémoire :

Tu croyais tout tranquille
Tout apaisé
Et tu pensais que cette mort était aisée

Mais non, tu sais bien que j'avais peur
Que je n'osais faire un mouvement
Ni rien entendre
Ni rien dire
De peur de m'éveiller complètement

MUSIQUE ET PLUIE

LA PLUIE ARRIVE

    comme le sax s'en va
    quelqu'un souffle de toutes ses forces
    sa musique avalée par la pluie
    et la nuit

Deux flammes au milieu de la table. Quelques restes dans les assiettes. Souper terminé. Encore du vin. Rouge sang dans le verre de ce soir d'avril.

Des voix montent, redescendent, remontent.

On ne voit qu'un homme et une femme à cette table. Mais de multiples présences interviennent, s'interposent et s'emparent souvent des mots.

Pour les charger d'explosifs.

Ou les désamorcer.

des guitares flamenco
entrent dans la cadence
et au même moment
la pluie accélère son tempo

« Il n'y a pas d'amours faciles, mais certaines amours sont plus difficiles que d'autres. »

Ils se prennent la main en parlant, et ce geste adoucit le débit de leurs voix.

Le passé ne sera jamais une page blanche.

Les plages du présent sont jonchées de débris et de naufragés, et l'avenir est une vague contre un rocher.

doucement le sax s'est éteint
et la pluie s'est allumée
puis le flamenco a déversé ses notes
et la pluie s'est mise à tomber plus fort

L'homme regarde les chandelles : brûlées jusqu'au bout.
Il y voit un mauvais présage et se lève de table.

Les murs sont nus, c'est invisible, mais... il y a beaucoup de lui, ici... enfin, c'était un peu... Il éclate en sanglots.

le sax souffle lentement la pluie
des larmes coulent
la guitare flamenco rejoue les nuits
qui ne reviendront plus

Elle lui dit que ce n'est pas fini.

Comme pour le consoler, elle lui montre une sculpture en bois d'un oiseau tenant un poisson dans son bec.

Il fait un pas vers la porte.

Elle se serre contre lui : « L'amour n'est pas mort, seulement interdit. »

le sax enlace la guitare
la pluie les larmes forment un lac
dans une barque une toute jeune fille
vient à la rencontre d'un garçon sur un quai
ils se reconnaissent

FEMME SEULE SUR UN BALCON

DES OISEAUX PASSENT en battant de leurs longues ailes devant la lune qui se lève, comme Sama cligne des yeux, assise sur le balcon.

Elle sursaute chaque fois que le téléphone sonne.

La plupart du temps, c'est chez des voisins que ça sonne. Elle entend une voix feutrée par les murs répondre avec insouciance. Elle entend ensuite des rires. Et les rires, cette joie qui éclate, lui font mal.

Sama en attend, un appel, elle, un seul, toujours le même ; elle l'attend maintenant depuis cinq mois et vingt-deux jours exactement.

Une fois par semaine, Ahmed lui téléphone.

Dix minutes maximum, et on les écoute sur une autre ligne. Ils ne rient pas. Ils s'efforcent de ne pas pleurer, de ravaler leur colère et d'endormir leur angoisse.

Oui, une fois par semaine, elle reçoit un appel d'Ahmed. Mais ce n'est jamais l'appel qu'elle attend ; ce n'est jamais l'appel qui lui annonce qu'il est enfin libéré, qu'il rentre à la maison.

Le vent frisquet qui a balayé les rues et fait danser les arbres toute la journée s'en est allé. Une douce fraîcheur imprègne l'air du soir. Les effluves des lilas, des cœurs saignants et des arbres fruitiers en fleurs s'entrelacent, comme si des êtres invisibles faisaient l'amour en flottant au-dessus de la rue, sur les draps du crépuscule. Elle est sûre que ce sont des esprits bienveillants qui entretiennent le jardin de leur amour.

Cinq mois et vingt-deux jours aujourd'hui. En prison ! Lui ! Ici !

Ahmed disait pourtant qu'ils seraient beaucoup plus libres ici. Elle revoit ses yeux et son sourire briller quand il lui disait ces choses. Il était beau comme un nouveau monde, tous les traits de son visage rafraîchis.

Elle le revoit et elle a mal.

Des sanglots montent de sa poitrine jusqu'à ses yeux. Elle se met à respirer très fort et le printemps l'étouffe de ses parfums envoûtants.

En bas de son balcon au troisième étage, des silhouettes sombres passent en rigolant. Ce ne sont pas des rires joyeux et insouciants. Ces rires sont remplis de cruauté ; ils résonnent dans la rue déserte, malveillants. Elle entend un bruit de verre brisé, presque sous son balcon.

Elle frissonne.

De froid et de peur.

Il fait nuit noire maintenant et l'air s'est encore refroidi.

Elle devrait rentrer, mais n'a pas la force de se lever.

Elle éternue.

Elle éternue encore.

C'est comme si elle avait le dos et les jambes paralysés dans cette chaise même pas confortable sur le balcon.

Les fenêtres s'éteignent une après l'autre. Les téléphones cessent de sonner.

« Ahmed, dors-tu ? Est-ce que j'peux aller me coucher ? Donne-moi la force de me lever ! »

La voix d'Ahmed.

Elle ouvrit les yeux. Il était assis au pied du lit et se tenait la tête entre les mains. Elle n'entendait pas bien ce qu'il disait, mais comprenait qu'il était aux prises avec de graves ennuis.

La chambre était sombre comme en pleine nuit, ce matin-là de décembre. Ahmed avait ouvert le rideau de la chambre et elle voyait une neige folle tomber derrière la fenêtre comme une ironique pluie de confettis.

La neige folle entre par la fenêtre et se met à tomber sur elle.

Sama se débat et s'éveille, toujours seule sur ce balcon, aux confins de la nuit.

Le vent est revenu, un vent du désert. Froid comme la guerre, il souffle sur elle les pétales blancs d'un grand pommier en fleurs.

HORS CHAMP

LE CAMÉRAMAN ÉTAIT FATIGUÉ de sa journée et se sentait plutôt taciturne. Une douleur tenace, pas aiguë mais insistante, lui traversait l'épaule jusqu'à la nuque. Ses yeux lui faisaient mal aussi, sous les paupières, et ses tempes bourdonnaient.

Il faut dire qu'il avait passé la journée à filmer des voitures qui explosaient, mille pétarades de toutes sortes, des fusillades et des cascades pyrotechniques.

D'habitude, pourtant, il adorait ça, et il était heureux, le soir, de se retrouver au restaurant avec le reste de l'équipe de tournage, pour parler encore et encore des moments les plus palpitants de la journée.

« Blow Them All to Peace ». Une mégaproduction hollywoodienne, le film d'action de l'année, peut-être même de la décennie. Des millions assurés au box-office et un budget de réalisation à l'avenant. « Blow Them All to Peace ». Un titre à retenir. Un commando de vaillants Américains contre une bande de terroristes. Quelques faire-valoir d'autres nationalités se joignaient à la super équipe américaine, qui devait toutefois réparer leurs erreurs fréquentes et les sortir des nombreux pétrins dans lesquels ils ne cessaient de se mettre par mégarde. Les terroristes, de leur côté, n'étaient rien de moins (ni de plus) que des incarnations du Mal. Ils surgissaient de partout, dans une Amérique trop insouciante de sa sécurité. Certainement un film à message.

Mais ce soir-là, le caméraman, à sa plus grande honte, et sans savoir pourquoi, en avait assez. La fatigue, sans doute.

Derrière un rideau d'arbres, le ciel était un jardin de nuages bariolés, qui se métamorphosaient tour à tour en pierres incandescentes, en traces de gouache fauves et indigo sous les doigts d'un être invisible, et en plage de sable mauve au bord d'un lac de jus d'orange.

Le caméraman était assis sur un banc, en bordure d'une piste cyclable et d'une promenade à deux voies étroites traversant la verdure touffue d'un parc naturel au cœur de la ville. Il ne connaissait pas cet endroit et s'y était rendu par hasard, en errant de par les rues dans la chaleur irréductible de cette journée d'été.

Le vrombissement des voitures qui passaient sur la promenade l'irritait.

Pas normal, ça, que ces minables voitures lui semblent bruyantes, à lui, un grand amateur de course automobile.

Il avait juste envie de s'imprégner du calme du soir naissant, et de la lente et silencieuse féerie des derniers feux du jour, derrière ce rideau d'arbres noircis.

Quand le flot des voitures cessait quelques instants, il avait même envie de s'étendre sur le banc, la tête tournée vers le jeu des formes et des couleurs du ciel, jusqu'à surprendre l'apparition de la première étoile.

S'étendre sur un banc public était pour lui l'apanage des clochards, des êtres qui ne font rien de leur vie, des parasites. Alors il n'osa pas et resta assis.

Une voiture blanche s'arrêta sur la promenade. La fenêtre ouverte, le conducteur était en grande conversation sur son cellulaire. Puis un couple passa sur la piste cyclable. L'homme était à vélo et la femme, en patins à roues alignées. Elle aussi était en grande conversation téléphonique, tout en roulant à haute vitesse sans prêter la moindre attention à l'homme qui l'accompagnait.

Le caméraman pensa à son propre cellulaire. Il le tâta au fond de sa poche de chemise, le sortit et l'éteignit.

Normalement il aurait été comme ces gens. En fait, normalement, à cet instant, il aurait été en compagnie de l'équipe de tournage au restaurant, et sans doute en même temps constamment au téléphone.

Il se souvint tout à coup que les vedettes du film devaient passer faire un tour au restaurant ce soir-là. Il était en train de manquer ça.

L'ombre d'un regret fut chassée aussitôt par un rouge de peau sous haute émotion à l'ouest du ciel, et se dilua dans l'obscurité grandissante des buissons où cigales et grillons faisaient crescendo.

À l'endroit exact où les dernières lueurs du soleil disparaissaient, il vit descendre une étincelante comète, et une exclamation d'émerveillement lui vint aux lèvres.

UNE OMBRE DE FORME HUMAINE

AU BOUT D'UN TRONÇON D'AUTOROUTE sans éclairage, je voyais les voitures s'agglutiner à l'intersection. Leurs feux arrière me faisaient penser à des grappes de fourmis rouges ou à des amoncellements de tisons.

Je me fondis dans ce mirage et j'atteignis l'intersection. Mes yeux clignèrent sous l'éclat javellisé des lampadaires. Une lueur verte semblait redonner vie aux feuilles mortes éparpillées sur l'asphalte mouillé. C'était un samedi soir encore jeune, dix heures environ.

Je tournai à droite et fut à nouveau plongé dans l'obscurité d'une route sans éclairage. Je longeais un cimetière lorsque je vis une ombre de forme humaine qui gesticulait. Elle se jeta presque sur la voiture qui roulait devant la mienne pour tenter de lui barrer la route. La voiture l'esquiva et poursuivit son chemin. Je ralentis et vis que l'ombre était une femme vêtue de noir. Elle semblait en état de panique et me fit signe de m'arrêter avec de grands gestes.

Je me garai tout près de l'entrée du cimetière. Elle se précipita côté passager et tâta la poignée, mais la portière était verrouillée. Elle approcha son visage de la fenêtre. Pendant un moment, nous nous sommes regardés intensément à travers la vitre.

Sans la quitter des yeux, je déverrouillai la portière. Brusque renversement des rôles, elle l'avait à peine ouverte qu'elle me demanda à brûle-pourpoint si elle pouvait me faire confiance. La question pouvait sembler absurde, voire déplacée, de la part d'une ombre qui me faisait arrêter sur une route obscure à l'entrée d'un cimetière. Mais cette ombre avait un visage humain et empreint de détresse. Je répondis oui sans la moindre hésitation.

Elle prit place à côté de moi.

« J'ai été violée », m'annonça-t-elle.

La portière claqua doucement, avec le choc sourd d'un couvercle de cercueil.

Je repris la route et mentionnai que nous étions à proximité d'un hôpital. Elle ne voulait pas y aller. Alors au poste de police ? Non plus. Elle voulait juste rentrer chez elle et prendre un bon bain chaud.

C'était une toute jeune femme de race blanche, vingt ans au plus, et de petite taille. Ses cheveux noirs et volumineux, qui lui tombaient sur les épaules, étaient ébouriffés et je remarquai des contusions sur son visage. Elle serrait contre elle les pans d'un manteau de cuir noir qui lui descendait à mi-cuisses sur des bas nylon troués, et noirs aussi. Elle me laissa entendre que ses vêtements étaient déchirés, ou peut-être même qu'elle ne portait plus rien sous ce manteau. Je ne demandai pas de précisions.

Elle me donna une adresse, située dans un des secteurs les plus pauvres de la ville.

Je voulais en savoir davantage sur ce qui s'était passé, et la convaincre de porter plainte. Mais je ne voulais pas la brusquer, ni la contrarier.

Nous roulions doucement en empruntant des rues qui m'apparaissaient sinistres et sournoises à force de tranquillité. Et la clarté des lampadaires ne jetait aucune lumière sur ce qui pouvait se tramer dans l'ombre de ces quartiers où il ne se passe rien.

Soudain, la sonnerie d'un cellulaire retentit dans la voiture. Comme je n'en avais pas, je me tournai vers elle. Elle sembla prise au dépourvu, plongea la main dans une poche de son manteau et répondit.

« Oui, j'm'en viens... J'ai un *lift*... J'suis en chemin. »

Et elle remit le cellulaire dans sa poche.

Je ne dis rien, mais elle sentit mon interrogation dans le silence.

« Mon *chum*.

— Il est au courant ?

— Oui. Je l'ai appelé tantôt. »

Je finis par apprendre qu'elle sortait d'une fête lorsqu'une voiture s'était arrêtée près d'elle. Le conducteur lui avait demandé une indication. Elle s'était approchée et il l'avait saisie par le bras et forcée à monter. Il l'avait ensuite entraînée dans ce cimetière où il l'avait violée.

Je lui dis que son agresseur recommencerait s'il n'était pas arrêté, que d'autres femmes étaient sûrement en danger, et que la première chose à faire pour qu'il soit arrêté serait de porter plainte.

Elle tourna vers moi un visage terrifié. Il avait volé son portefeuille, qui contenait ses cartes de crédit et d'identité, ses coordonnées ; bref, il savait qui elle était et possédait tous les renseignements nécessaires pour la retrouver. Elle ne voulait que prendre un bain et se reposer.

Je me stationnai devant un duplex délabré à l'adresse qu'elle m'avait donnée. Un jeune homme sortit sur le perron. Elle se tourna vers moi avec le sourire fané d'une femme qui s'efforce d'être charmante.

« J'sais pas comment te remercier.

— Tu devrais porter plainte. C'est difficile, mais... Promets-moi au moins d'y repenser. »

Elle fit oui d'un signe de tête et se dirigea vers le jeune homme qui l'attendait. Elle ne se jeta pas dans ses bras et il n'esquissa aucun geste vers elle. La porte ouverte diffusait la lumière de l'intérieur. Elle s'y engouffra, ombre pressée de disparaître.

DES FLAMMES ET DES OMBRES

UN VERRE DE BIÈRE NOIRE devant moi, assis à une petite table ronde, près du bar où fusent des éclats de voix, je regarde bouger les flammes d'un foyer à l'autre bout de ce pub irlandais.

Les boiseries s'animent. Reflets orangés. Des serveuses tentent de se frayer un passage parmi les buveurs qui gesticulent.

Les joueurs de cribbe interrogent leur destin dans les cartes et à petits pas sous leurs doigts. Des visages cherchent des miroirs dans d'autres visages. Certains aperçoivent peut-être une étincelle au fond d'un gouffre.

Le regard de la femme corbeau, assise au bar, traverse le cercle des initiés qui l'entourent.

Elle se lève et, sautant d'un arbre à un autre, vient me rejoindre pour m'envelopper dans la chaleur de ses ailes de nuit.

SILENCE CHAOS

LE CIEL EST UN AMAS DE PIERRES et de fumée. Des bleus mêlés de teintes de peau à vif. Des gris de fossiles et d'asphalte usé.

Un champ de bataille. Jonché de corps amoureux. Imprégné d'un silence de planète sans vie.

La nuit s'est évaporée et la lumière est si faible qu'on ne peut concevoir qu'un jour naîtra d'une flamme aussi incertaine.

Un chat apparaît sur le trottoir, seule silhouette alerte dans un paysage pétrifié. Revient-il du pays des cauchemars ou de la cité des rêves enchantés ?

Le matin est un embryon dans le ventre de la mort universelle.

Table des matières

L'enfance du jour

Un chat sur la route ·························· 11

Une voix, un cri, un appel ···················· 13

Gestes prémonitoires ························· 15

Encore une fois ···························· 17

Matin sans histoire ························· 19

Le trésorier du ciel ························ 21

Bandit de grand chemin ····················· 33

Une classe d'enfants ······················ 37

Lignes de départ ·························· 43

Entre les fissures

Le fantôme de midi ························ 49

Insubordination ·························· 51

Partition ······························· 53

Débâcle ······························· 57

Perte de vitesse ························· 61

Une visite au printemps ··················· 65

Échaudoir ····························· 71

Le vertige du soleil ······················ 75

Un anniversaire ························· 79

Les forces fragiles de l'ombre

De glace et de feu · 85
Rouge nuit · 89
Tu croyais tout tranquille · · · · · · · · · · · · · · · · · · · 93
Musique et pluie · 99
Femme seule sur un balcon · · · · · · · · · · · · · · · · · 103
Hors champ · 107
Une ombre de forme humaine · · · · · · · · · · · · · · · · 111
Des flammes et des ombres · · · · · · · · · · · · · · · · · 117
Silence chaos · 119

Ce livre, publié aux Éditions
L'Interligne à Ottawa (Ontario),
est composé en caractère Garamond,
corps douze, et a été achevé d'imprimer
sur les presses de l'imprimerie Gauvin,
Hull (Québec),
en novembre 2004.